LEGO® IDEEN

GEISTER, HEXEN, GRUSELWESEN

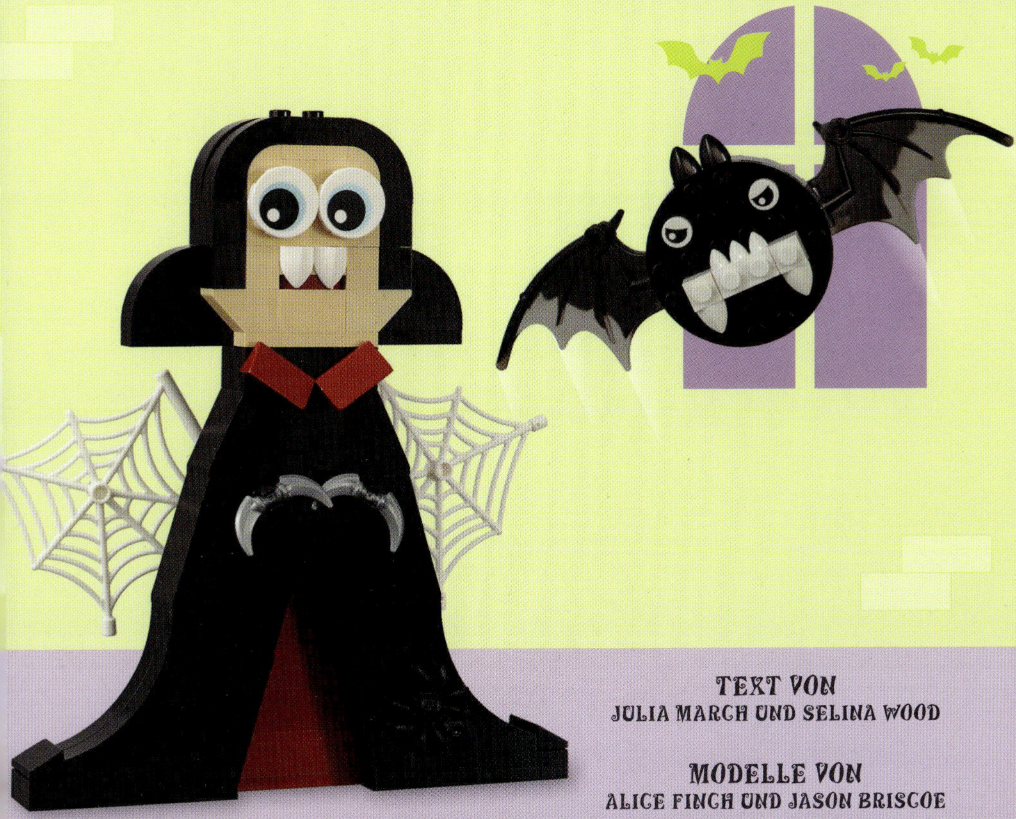

TEXT VON
JULIA MARCH UND SELINA WOOD

MODELLE VON
ALICE FINCH UND JASON BRISCOE

INHALT

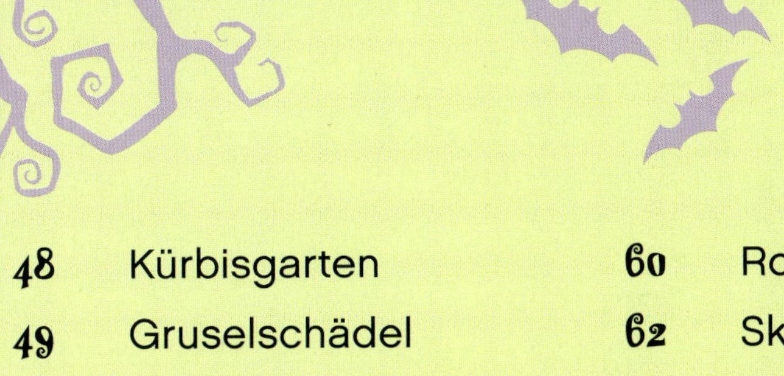

FINDE AUF SEITE 70 HERAUS, WIE DU MICH BAUST!

HEXEN-KATZEN

Eine einsame Hexe kann allerlei Schabernack treiben, also bau ihr lieber ein paar Katzenfreunde zur Gesellschaft. Die süßen Miezen brauchen kein Katzenklo – nur eine Kiste Steine!

FÜR EINE KATZ IST AUCH NOCH PLATZ!

TOP-TIPP

Schwarze Katzen sollen nur Glück bringen, wenn sie in deine Richtung gucken. Bau ihr vorsichtshalber beiderseits ein Gesicht!

Umgekehrte schräge Platten

Transparente grüne Satellitenschüsseln

Joysticks als bewegliche Schnurrhaare

Gesicht aus einer Halsklemme für den 3-D-Effekt

Kacheln mit starrenden Augen

Einzelne Noppe als süße Katzennase

Mach Halsband und Schwanzspitze rot!

Kätzchen aus nur einer Handvoll Steinen

Kleine Dachsteine als Ohren

GEISTER-TÜREN

Klopf, klopf! Ein Geist muss die Tür nicht öffnen, um zu sehen, wer davor steht. Er steckt einfach seinen Kopf durch! Bau schaurig-schöne Türen zum Erschrecken deiner Gäste.

HALLOWEEN-HÄUSER

Bau ein paar Häuserfronten, die den Kindern an Halloween gefallen. Vergiss die Grusel-Deko nicht! Eine Spinne auf dem Dach könnte Besucher begrüßen – oder sie vertreiben.

SPINNWEB-HAUS

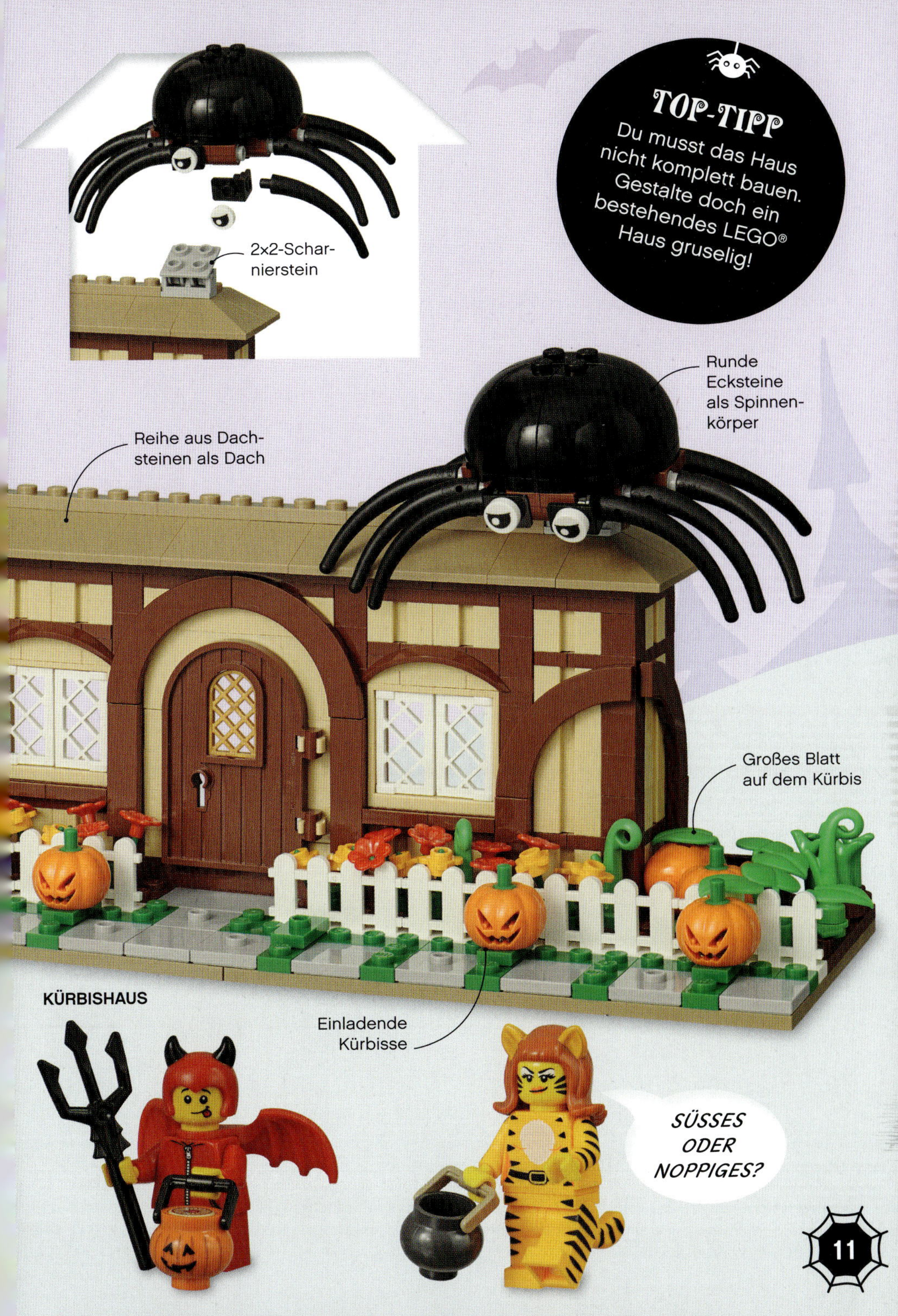
2x2-Scharnierstein
TOP-TIPP
Du musst das Haus nicht komplett bauen. Gestalte doch ein bestehendes LEGO® Haus gruselig!
Runde Ecksteine als Spinnenkörper
Reihe aus Dachsteinen als Dach
Großes Blatt auf dem Kürbis
KÜRBISHAUS
Einladende Kürbisse
SÜSSES ODER NOPPIGES?

SPUKFRIEDHOF

Bau eine gruselige Friedhofsszene mit unheimlichen Skeletten. Wühle dich durch deine LEGO® Steine und bau einen Wagen, ein Geistertor und einen Grabstein mit Fledermaus.

TOP-TIPP
Wenn du kleinere Räder vorne nimmst, bau ihre Achse auf einen Stapel 1x4-Kacheln, damit der Wagen rundläuft. Sonst kippt er nach vorn. Sehr unbequem!
Knochen als Wagen-Zierde
Scharnierplatte zum Kippen der Ladefläche
Flammen-Elemente
ICH ÜBERNEHME DIE NACHT-SCHICHT!
Wagenräder mit Speichen
Runde Kachel auf dem Verbindungsstück

VEGGIE-VAMPIRE

Vampire lieben Gruselpartys, weil sie da im Mittelpunkt stehen. Erwecke einige lustige Vampire zum Leben! Diese beiden mampfen mit ihren Beißzähnen am liebsten Obst und Gemüse!

TOLLE TASCHEN

Jeder, der an Halloween herumzieht, braucht eine gruselige Tasche für die Süßigkeiten! Oder baust du dir gleich zwei? Sie sind schnell gebaut und verhindern, dass dein Süßes sauer wird.

TOP-TIPP

Suche in deiner LEGO® Sammlung praktische Steine für Augen, Nasen und andere Gesichtsmerkmale. Sogar ein Bananen-Element geht!

Schläuche oder Röhren sind perfekte Griffe.

Platten als Vorder- und Rückseite der Tasche

Schwarze Noppe als Warze

Spinnenbein als Mund

PRAKTISCH FÜR SÜSSES!

FINDE DEN UNTERSCHIED!

Mit diesem Grusel-Rätsel kannst du deine Freunde herausfordern. Sie brauchen scharfe Augen wie eine Eule, um alle acht Unterschiede zwischen den beiden Gruselszenen zu finden.

Schild-Element mit Kachel als Zierde der uralten Tür

Fern-gläser als Scharniere

WAS IST ANDERS?

Du kannst verschiedenste Unterschiede einbauen: Elemente austauschen, Farben ändern, Dinge an andere Orte bewegen oder Teile anfügen oder weglassen. Je unauffälliger, desto besser!

Lösungen für das Rätsel unten findest du auf Seite 76.

SPIELREGELN

1. Bau zwei identische Modelle, dann ändere in einem ein paar Details. Sechs bis zehn Unterschiede sind gut.
2. Sage einer Freundin, wie viele Unterschiede es gibt. Dann gib ihr die Aufgabe, sie alle zu finden.
3. Spielt, so oft ihr wollt, ändert aber jedes Mal Kleinigkeiten.

Spinnennetz an Klemmen

Nimm rote Blätter für einen Gruselbaum.

Pflanzenstängel neben dem Grabstein

GRUSEL-WALD

Wer traut sich in diesen wilden Wald? Bau unheimliche Gruselpflanzen und Bäume mit Augen. Was war das für ein Geräusch? Ein Vogel, ein Reh oder etwas Übernatürliches?

Spinne krabbelt am Baum.

Pflanzenblätter

LEGO® Technic Scharnier-Verbinder als schiefer Stamm

PROBIER MAL
Fantastischer wird es mit grellem Pink oder bizarrem Blau statt Laub in Grün und Braun!

SAGTE JEMAND GRUSELIG?

1×3-Platte
Bau Lagen aus Blättern auf Platten
Hängende Ranken greifen nach Spaziergängern.
Wald-Monster im Gruselbaumstumpf
Stachelpflanze auf kleinen Kegeln

GEISTER-FALLE

Fiese Poltergeister kommen um Mitternacht zum Spielen heraus! Bau diese geniale Geisterfalle, um die Störenfriede aufzusaugen. Darin ist genug Platz für eine ganze Geisterschar!

Der Schlauch befördert Geister in den Behälter.

Griff des Bedienfelds

Die Satellitenschüssel saugt Geister ein.

Kreischender Lautsprecher

EULE

TOP-TIPP

Wenn du ein flaches Tier wie die Eule baust, kannst du hinten einen Block aus Steinen anbringen, damit es steht.

HEXEN-HAUSTIERE

Hexen und Zauberer haben oft tierische Begleiter. Bau dir auch ein paar treue Gesellen! Versuche es mit einer großäugigen Eule als Wächterin oder einer herumhuschenden Maus.

MAUS

RIESEN-SPINNE

Lege Freunde und Familienmitglieder mit dieser riesigen Gruselspinne herein. Ihre acht Beine sind beweglich – ein feines Krabbeltier!

Die Beine bewegen sich zu Gruselposen auf und ab.

SPEZIAL-STEIN

Das gerundete, segmentierte Element passt als Spinnenbein, aber auch als Schwanz oder Rippe.

Gerundete Dach-
steine als rund-
licher Körper
MIT MIR BIST
DU IMMER GUT
VERNETZT!
Große
Augen
vorne
Biegsames
Spinnenbein
Runde
Gleitfliese
Fangzahn-
Elemente
Gelber gerun-
deter Dachstein
SPINNEN-UNTERSEITE

MONSTER-MIX

Bau ein buntes Monster-Allerlei aus Hexe, Werwolf und Kürbis-Kerl. Dann vertausche ihre Körperteile untereinander, bis du einen richtig verrückten Monster-Mix hast.

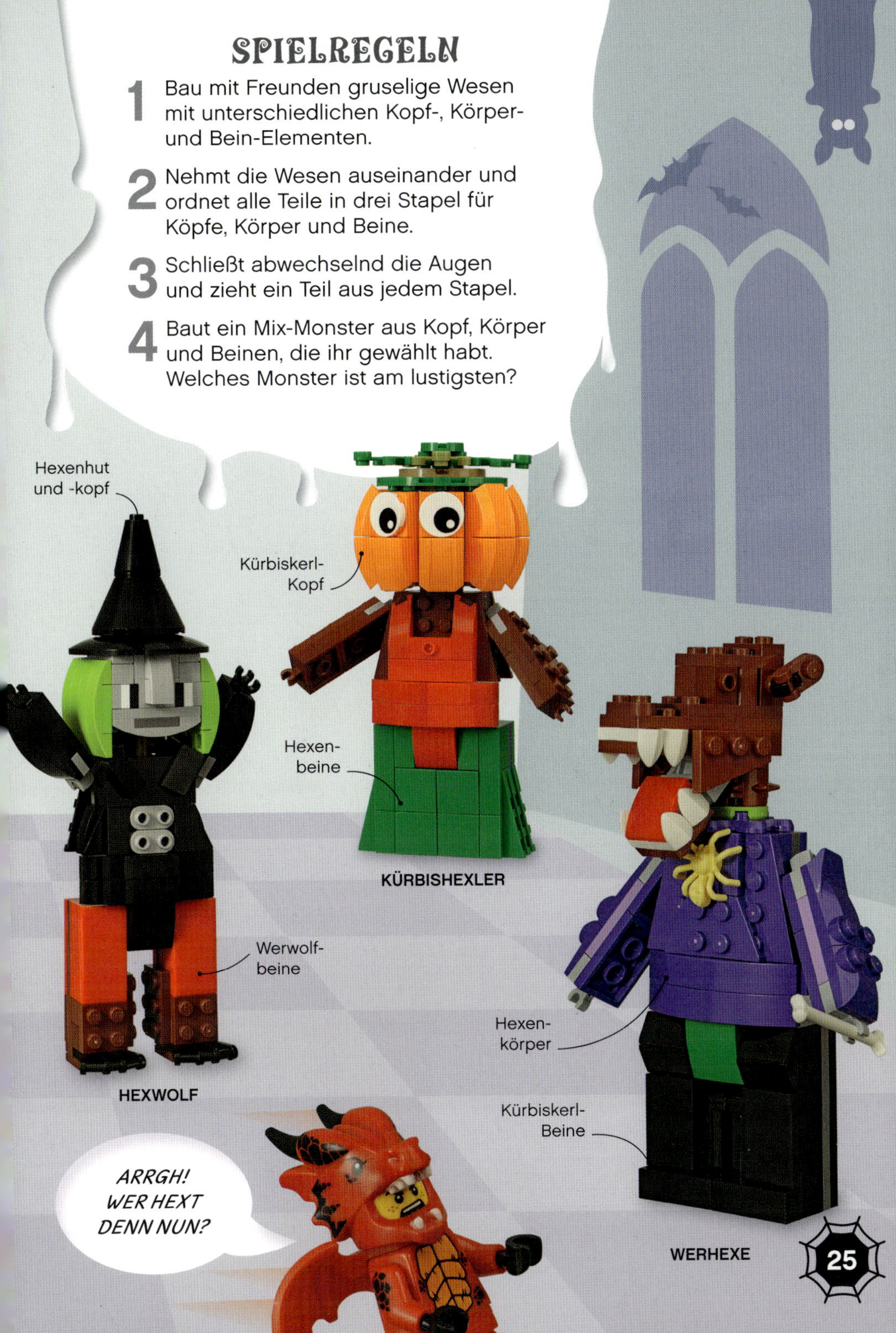

SPIELREGELN

1 Bau mit Freunden gruselige Wesen mit unterschiedlichen Kopf-, Körper- und Bein-Elementen.

2 Nehmt die Wesen auseinander und ordnet alle Teile in drei Stapel für Köpfe, Körper und Beine.

3 Schließt abwechselnd die Augen und zieht ein Teil aus jedem Stapel.

4 Baut ein Mix-Monster aus Kopf, Körper und Beinen, die ihr gewählt habt. Welches Monster ist am lustigsten?

KRABBEL-TIERE

Nicht nur Geister schleichen durch finstere Nächte, auch Krabbeltiere sind ganz begeistert. Bau kleine Krabbler mit großen Augen, langen Beinen und gruseligen Fühlern.

PROBIER MAL

Bau aus LEGO Elementen aller Formen und Größen unheimliche Insekten: Vampirameisen, Geisterschmetterlinge – sei kreativ!

Haus aus Satellitenschüssel

SCHNECKE

Hebel-Elemente als bewegliche Beine

Die Minifiguren-Angel ergibt tolle Fühler.

TAUSENDFÜSSLER

STACHEL-KÄFER

Dornen-Elemente als Beine

GRUSEL-KERZEN

Erzeuge mit unheimlichen, doch eleganten Kerzen eine gruselige Stimmung. Sie tropfen und schmelzen nicht, und sie werden auch nicht kleiner – außer du nimmst Steine raus!

Gekreuzte Schwerter
VON HINTEN
Reihe aus Zahnplatten
Mast aus einem Stapel runder Steine mit Fahnenstange
Piratenflagge
Weiße Roboterarme als knubblige Knochen

GEISTERSCHIFF

Geist, ahoi! Stich ins Gruselmeer und bau eine Geister-Galeone mit einer Piratenskelett-Mannschaft. Vergiss nicht, eine Piratenflagge zu hissen, sonst lassen dich deine Piraten über die Planke gehen.

HEXEN-GESICHT

Bau zusammen mit Freunden ein gruseliges Hexengesicht. Lasst euch abwechselnd die Augen verbinden und steckt LEGO Elemente im Gesicht an, etwa Knochen und Spinnen. Das wird ein schauriger Spaß!

SPIELREGELN

1. Baut ein leeres Hexengesicht aus flachen LEGO® Platten.
2. Fügt mit Augenbinde (ein Schal geht gut) ungewöhnliche LEGO Elemente als Augen, Nase, Mund und so weiter an. Nicht gucken!
3. Eure Hexe wird alle möglichen witzigen Gesichtszüge haben!

GEISTERZÄHLER

Bau diesen praktischen Geisterzähler, um dir beim Geisterfangen zu helfen. Er verrät, ob ein Geist in der Nähe ist, sogar wenn das fiese Ding sich unsichtbar macht!

ABDECKUNG HOCHGEZOGEN

TOP-TIPP

Hör nicht auf, Fledermäuse zu bauen, nur weil dir die Flügel ausgehen. Probiere einfach schräge Platten und Klauen als Flügel aus.

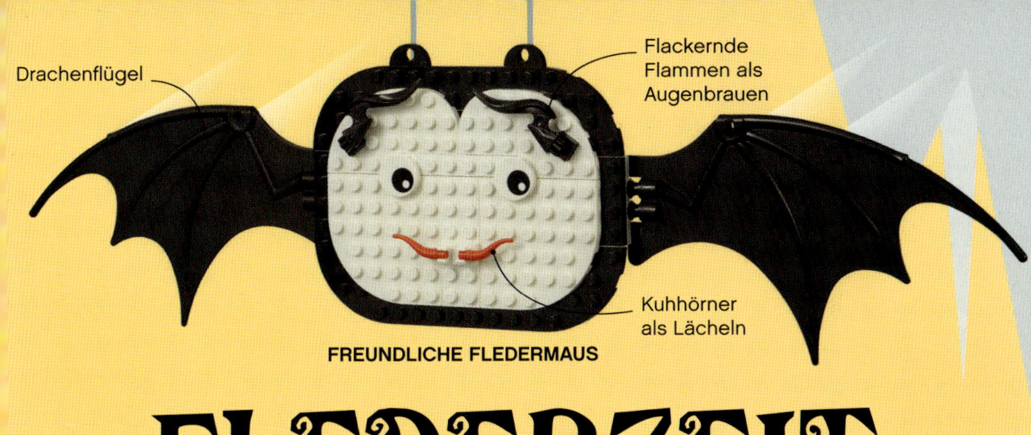

Drachenflügel
Flackernde Flammen als Augenbrauen
Kuhhörner als Lächeln
FREUNDLICHE FLEDERMAUS

FLEDERZEIT

Bau eine große Fledermaus-Familie – mit flachen, süßen, grimmigen und müden Fledermäusen! Bau an einige Tiere Platten mit Löchern, daran kannst du sie aufhängen.

GRIMMIGE FLEDERMAUS

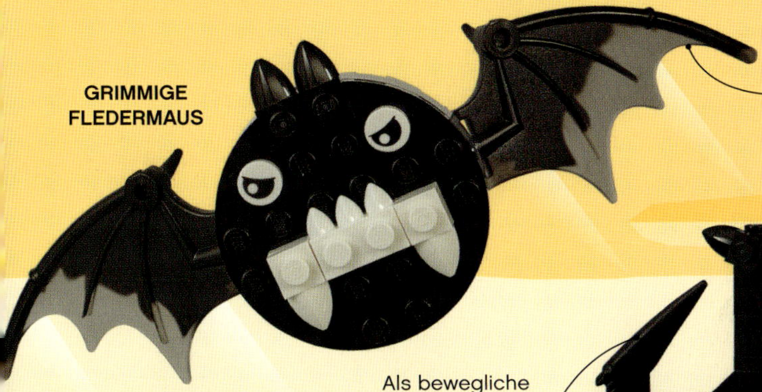
Halb-transparenter Drachenflügel

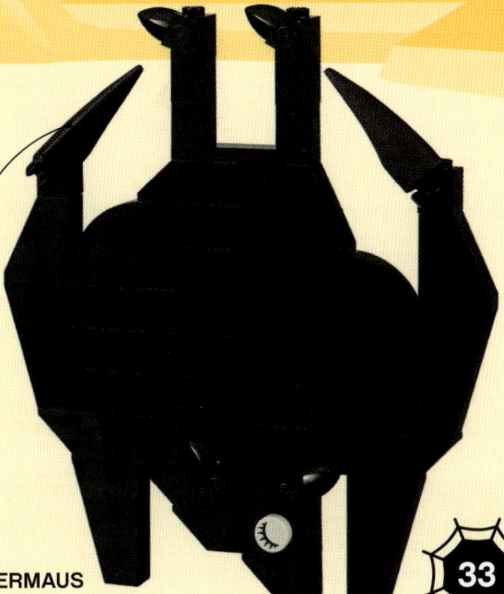
Als bewegliche Flügelspitzen nimm Klauen auf Steinen mit Noppen.
MÜDE FLEDERMAUS

SPEZIAL-STEIN

Die praktische runde 2x2-Kachel mit Ring ist toll für Modelle, die du aufhängen möchtest.

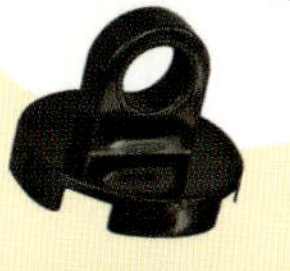

FIESES VERLIES

Bau ein finsteres Verlies für ein Skelett. Fülle es mit Ketten, Spinnweben und herumhuschenden Ratten. Denke auch an den Verlies-Schmaus – schimmligen Käse und kalten Tee!

Deckel aus rechteckiger Kachel
Zwei 1×2-Scharnier-steine
Netze gibt es in allen Größen und Formen.
Grüne Zahnsteine
TOP-TIPP
Stell einen Minifiguren-Wächter oben an die Treppe, um Flucht-versuche zu verhin-dern. Ein Skelettritter ist perfekt!
ICH BIN DER UNHEIMLICHE AUFPASSER!
Kiste für Knochen

SCHAURIGER AUGAPFEL

Dieser leckere Apfel sieht schön saftig aus, bis man ihn umdreht. Plötzlich ist er ein großer, gruseliger Augapfel! Deine Freunde werden ihn ewig anstarren – und das Auge starrt zurück.

HALLOWEEN-KOSTÜME

An Halloween dreht sich alles um Kostüme. Bau dir schaurige Fledermaus-Ohren, Vampirzähne und Rankenhaare. Dann schneide Grimassen für gruselige Halloween-Selfies.

KNOCHEN-DRACHEN

Bau ein paar Drachenskelette mit fiesen Zähnen, Klauen und Hörnern. Sie sind zwar etwas knochig, aber wenn sie sich bewegen, klappern sie unheimlich schön!

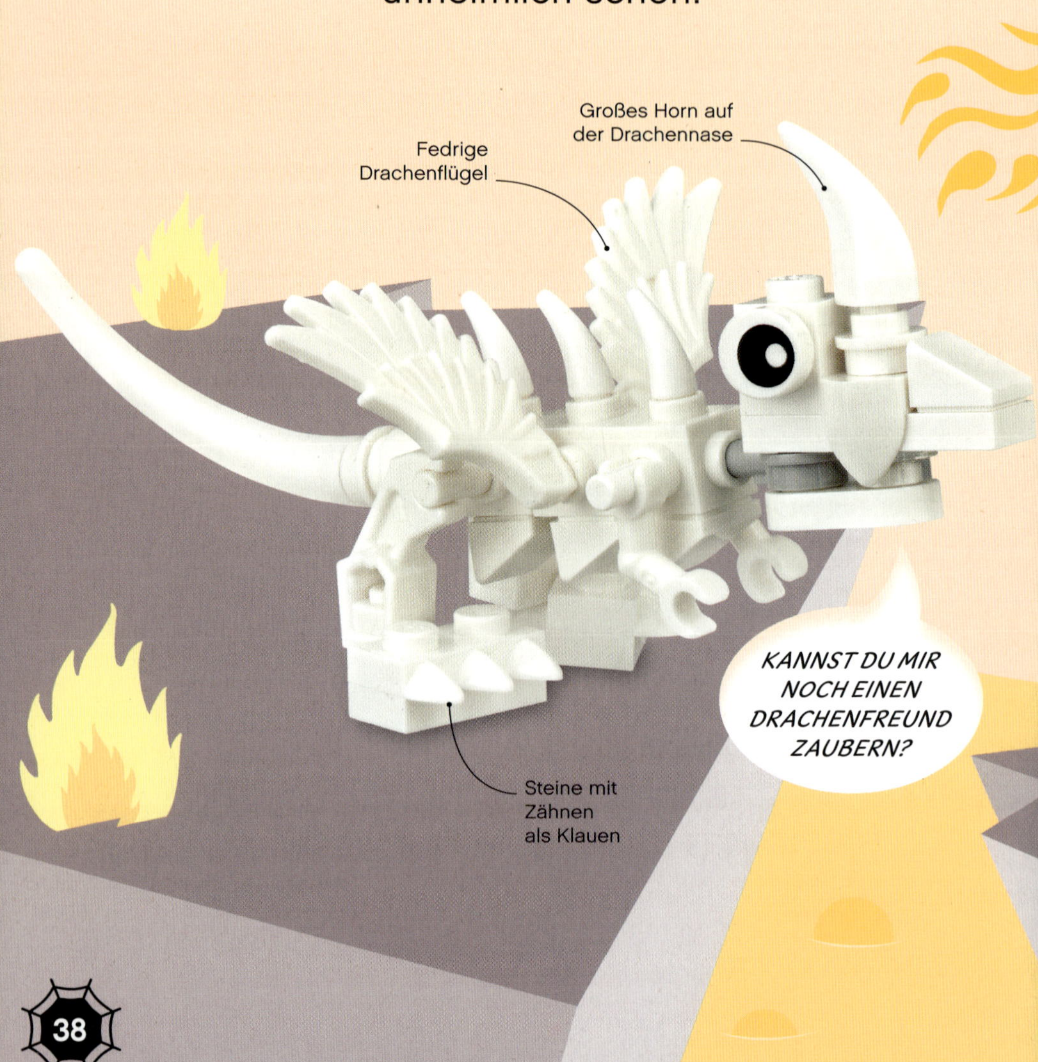

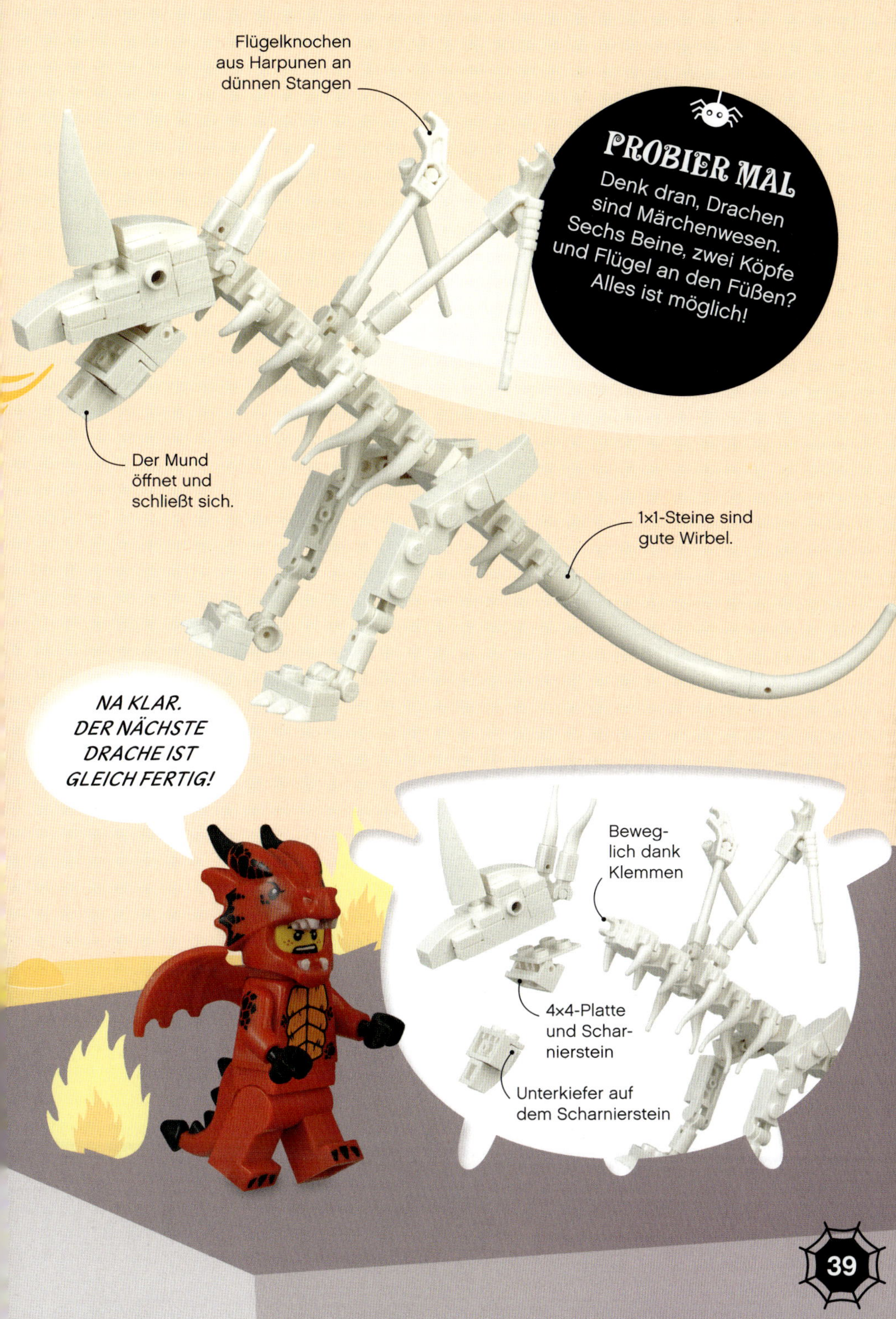
Flügelknochen aus Harpunen an dünnen Stangen
PROBIER MAL
Denk dran, Drachen sind Märchenwesen. Sechs Beine, zwei Köpfe und Flügel an den Füßen? Alles ist möglich!
Der Mund öffnet und schließt sich.
1×1-Steine sind gute Wirbel.
NA KLAR. DER NÄCHSTE DRACHE IST GLEICH FERTIG!
Beweg-lich dank Klemmen
4×4-Platte und Schar-nierstein
Unterkiefer auf dem Scharnierstein

ZAUBERER-HÄUSER

Bau ein magisches Haus für Hexen oder Zauberer und richte es stilvoll ein. Vergiss Sofas und Fernseher – es geht um Tränke, Zauberbücher und vielleicht noch ein Kräuterbeet im Garten. Natürlich ist ein Kessel in der Küche ein Muss!

HEXENHAUS

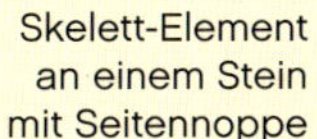

Skelett-Element an einem Stein mit Seitennoppe

Brauner 1x1-Stein an Dachsteinen als Holzbalken

ZAUBERER-HAUS

Flammen aus transparenten orangen und gelben Steinen

TOP-TIPP

Überleg dir, was du aufhängen willst, bevor du die Wände baust. Dann bau Steine mit Noppen für Klemmen an den richtigen Stellen in die Wände.

Vordach aus einem LEGO Technic Element

Braune Zweige oben am Eulenpfahl

Beet mit Kräutern und Fliegenpilzen

VON HINTEN

SPIELAUFBAU

1 Bau auf ein Spielbrett aus bunten 2×2-Kacheln verschlungene Pfade mit vielen Abzweigungen von einer Seite zur anderen.

2 Stell ein paar gruselige Hindernisse entlang der Wege auf, mindestens eines pro Abzweigung.

3 Bau kleine Spielsteine, für jeden Spieler einen.

4 Schreibe eine Liste mit Befehlen für jedes Hindernis auf, etwa „Spinne = gehe fünf Felder zurück“ oder „Skorpion = spiele noch einen Zug“.

Das Katzentor bildet das Ziel.

Die Wege müssen sich treffen, sonst sitzen Spieler fest.

SPIELREGELN

1 Die Spieler würfeln abwechselnd und ziehen ihre Spielsteine. Landen sie auf oder neben einem Hindernis, befolgen sie den Befehl.

2 Der Erste, der das Ende des Wegs erreicht, hat gewonnen!

Kleine LEGO Elemente auf Noppen als Spielsteine

SPIELSTEINE

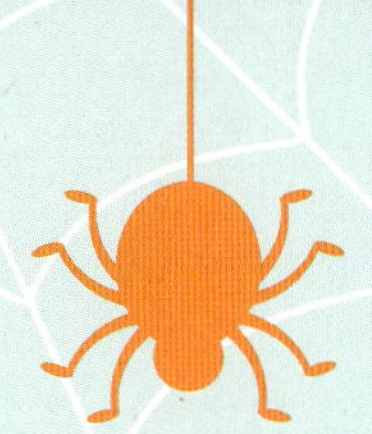

MONSTER-BRETTSPIEL

Bau ein haarsträubendes Monster-Spiel für dich und deine Freunde. Wer kommt als Erster an den Hindernissen auf diesem Gruselpfad ins Ziel?

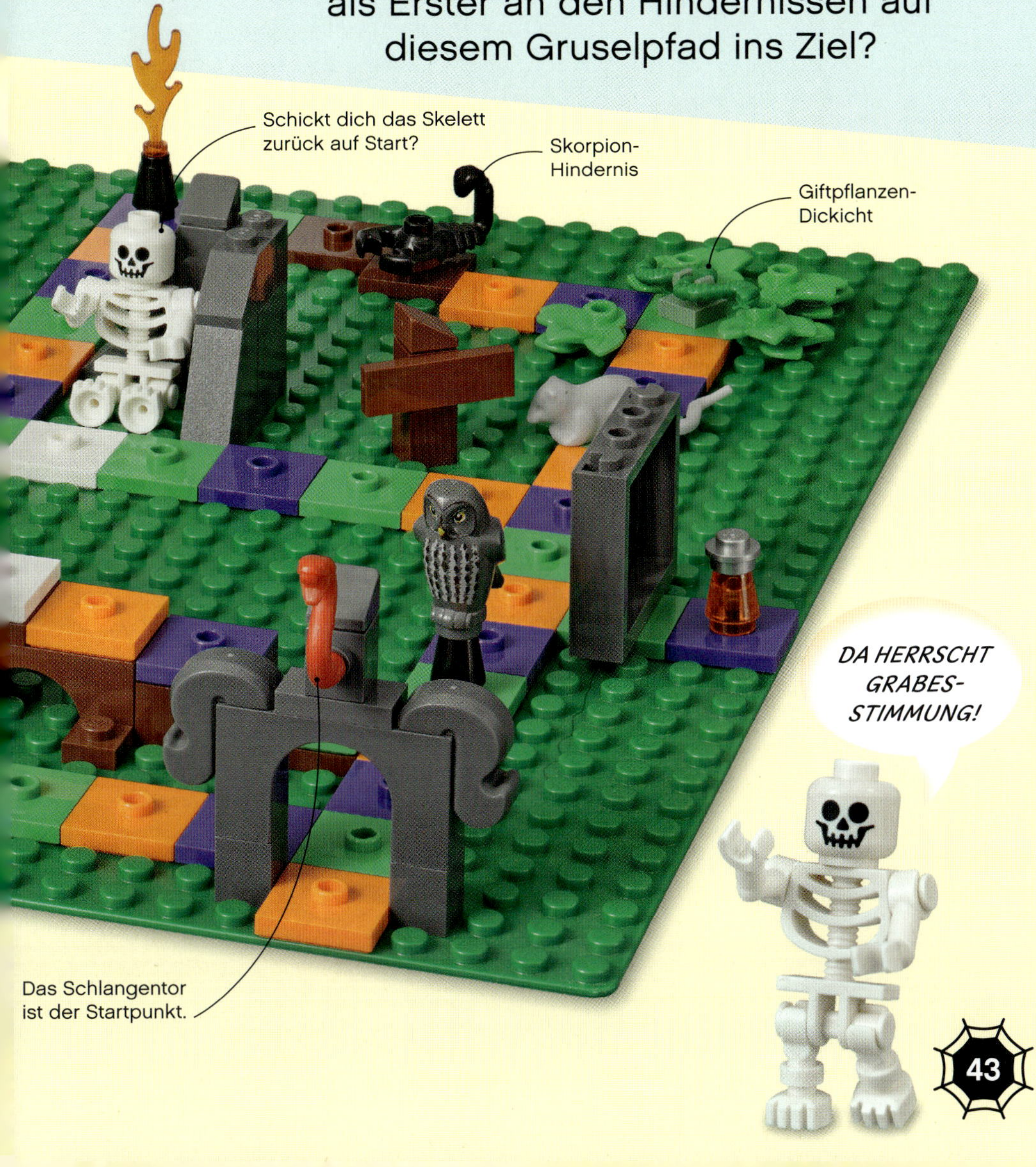

Schickt dich das Skelett zurück auf Start?

Skorpion-Hindernis

Giftpflanzen-Dickicht

DA HERRSCHT GRABES-STIMMUNG!

Das Schlangentor ist der Startpunkt.

BABY-DRACHE

Bau einen Baby-Drachen, der Geister vertreibt. Das Monster mit dem großen Herzen sieht süß aus, doch wenn es Feuer speit, flüchten alle Gespenster!

TOP-TIPP
Füge ein paar Stacheln am Drachenkörper an! Eine Reihe hervorstehender 1x1-Klemmen ist perfekt.

Weiße Platten als Spinnweben

Geister an 1×1-Steinen mit Noppen

SCHICK GESCHMÜCKT

Sorge mit diesen tollen Dekorationen für eine magische Gruselparty. Bau flache Umrisse und verziere sie mit Geistern, Fledermäusen, Hexenhüten und Spinnweben.

Füße aus den Fingern einer 1×2-Scharnierplatte

ICH KANN ES KAUM ERWARTEN, HIER ZU SPUKEN!

LEGO
Technic
Achse
VON HINTEN
LEGO Technic
Stopper
Der Knochen-Behälter
ist über den Schacht mit
der Maschine verbunden.
Stelle gruselige
Minifiguren-Köpfe
in die Regale.
1968
Transparente
Elemente als
Beleuchtung

MONSTER-MASCHINE

Welche Mix-Monster-Mischung wird diese Maschine ausgeben? Bau dir selbst eine und belade sie mit Minifiguren-Teilen. Dann dreh am Griff, um das Förderband zu bewegen.

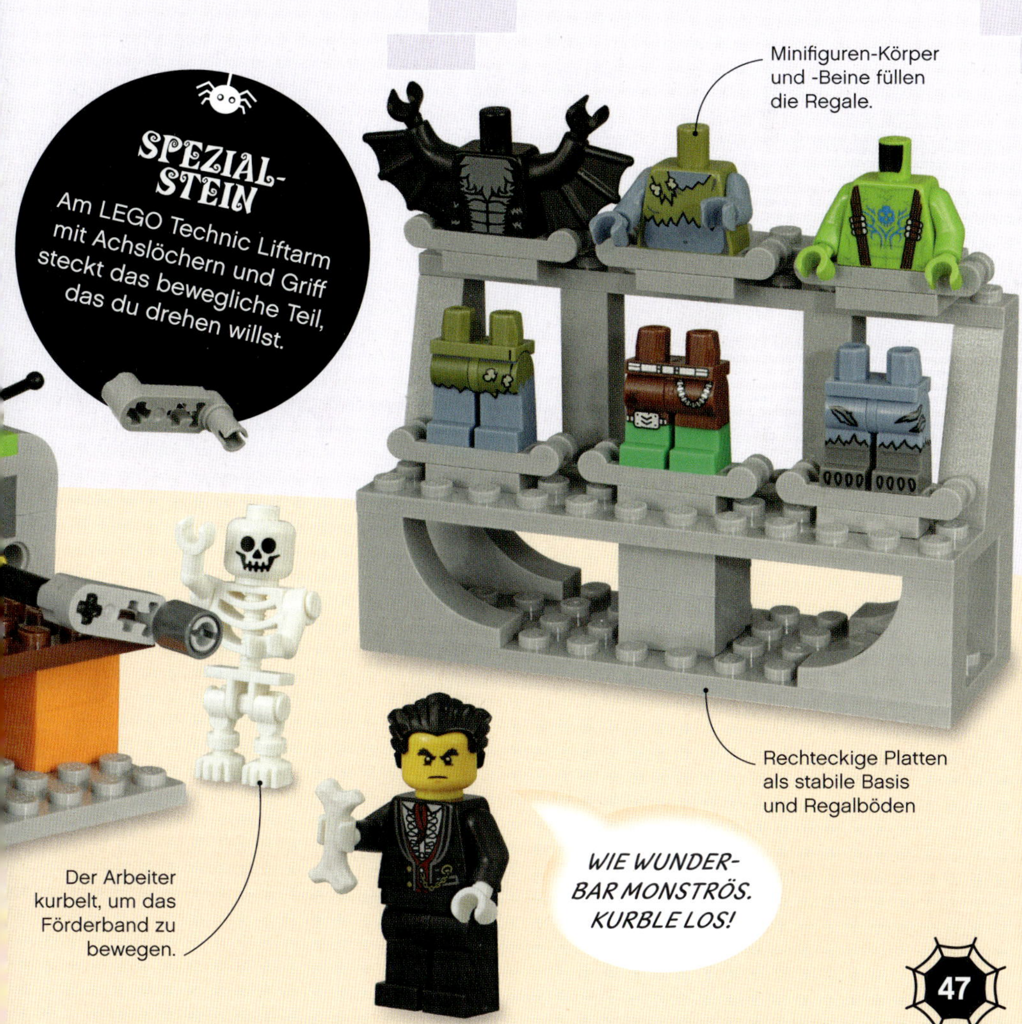

SPEZIAL-STEIN
Am LEGO Technic Liftarm mit Achslöchern und Griff steckt das bewegliche Teil, das du drehen willst.

Minifiguren-Körper und -Beine füllen die Regale.

Rechteckige Platten als stabile Basis und Regalböden

Der Arbeiter kurbelt, um das Förderband zu bewegen.

KÜRBIS-GARTEN

Bau einen Garten mit unheimlichen Kürbissen – das ist leichter als Schnitzen! Orange Elemente sind reife Kürbisse, grüne sind unreife. Im hohlen Kürbis versteckst du eine Halloween-Überraschung.

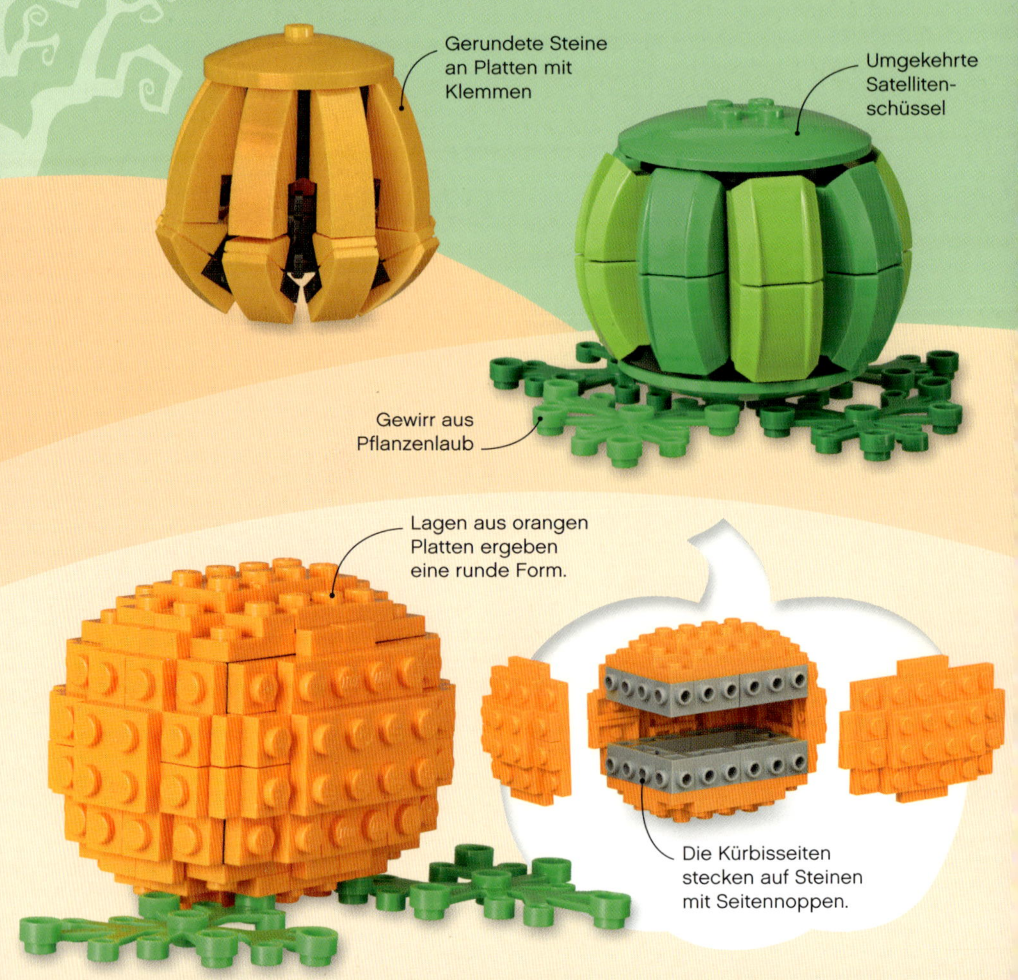

GRUSEL-SCHÄDEL

Bau eine tolle Schädel-Tischdeko. Nimm LEGO® Elemente aller Formen und Farben für ungewöhnliche Augen, Nasen und Münder. Damit sind deine Schädel eine Überraschung für alle Gäste!

Schädelform aus gerundeten und rechteckigen Platten

Wellige Flammen wirken wie Hörner.

Laub-Elemente mit Löchern als Stachelfrisur

Fledermausflügel

3×2-Kacheln mit Löchern als Lippen

BEREIT FÜR DIE KNOCHENPARTY?

Eine Satellitenschüssel
mit Antennen fängt
Blitze ein.
Tränkekammer
aus einem
Zylinder mit
biegsamem
Schlauch
WAS IST DAS
HEUTIGE GRUSEL-
EXPERIMENT?
ES IST
VOLLMOND, DA
KÖNNTE ALLES
PASSIEREN!

LABOR DES IRREN FORSCHERS

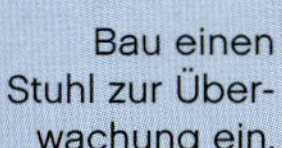

Bau einen Stuhl zur Überwachung ein.

Ein irrer Forscher braucht auch ein verrücktes Labor. Fülle dein Labor mit möglichst vielen Geräten, Röhren und Behältern. Aber pass auf: Der Forscher könnte ein Monster zum Leben erwecken!

PROBIER MAL

Gib Steine oder Minifiguren-Elemente in die Tränkekammer. Was der irre Forscher hier wohl erschafft?

Stufen zur Aussichtsplattform

Die Tür geht an Scharnieren auf.

VON HINTEN

GRUSELIGES WETTBAUEN

Teste deine Kreativität und verbessere dein Können mit diesem LEGO Wettbauen. Mit schnellen Fingern und flinkem Verstand gewinnst du dieses Spiel locker!

SPIELREGELN

1 Jeder Spieler schreibt fünf Bauideen auf ein Blatt.

2 Faltet die Blätter und legt sie in einen Beutel. Jeder zieht zufällig eine Idee.

3 Stellt die Uhr auf fünf Minuten und baut los!

4 Wenn die Zeit um ist, raten die Spieler, was jeder Entwurf darstellt.

5 Richtige Antworten geben zwei Punkte, auch für den Baumeister. Die höchste Punktzahl gewinnt.

Klaue und Satellitenschüssel als Hexenhut

Violette Robe als Partykleid

HEXE

Transparente runde Steine und Halbkugelstein

ZAUBERTRANK

Nimm ein paar Handvoll zufällige Steine.

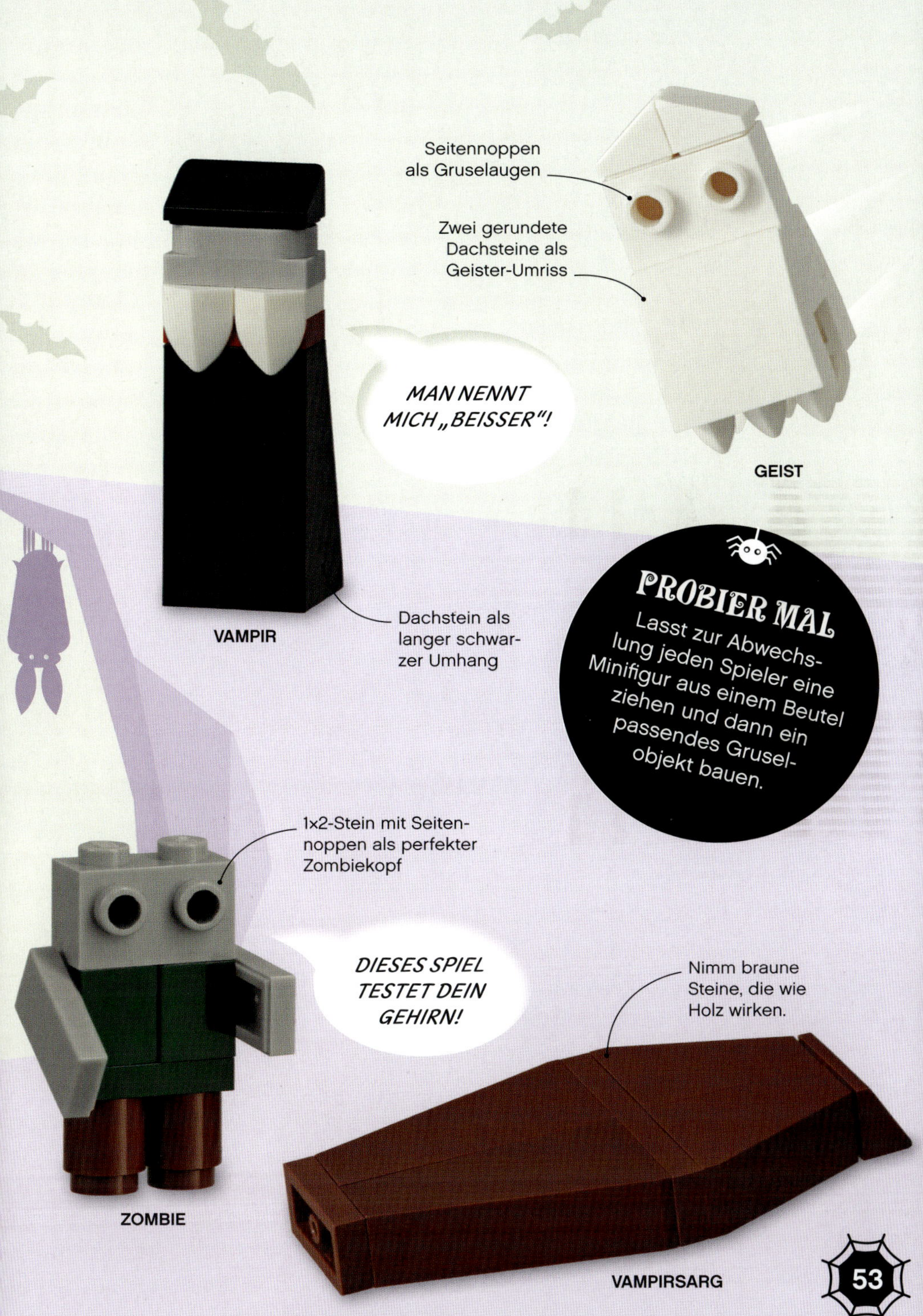
Seitennoppen als Gruselaugen
Zwei gerundete Dachsteine als Geister-Umriss
MAN NENNT MICH „BEISSER"!
GEIST
VAMPIR
Dachstein als langer schwarzer Umhang
PROBIER MAL
Lasst zur Abwechslung jeden Spieler eine Minifigur aus einem Beutel ziehen und dann ein passendes Gruselobjekt bauen.
1x2-Stein mit Seitennoppen als perfekter Zombiekopf
DIESES SPIEL TESTET DEIN GEHIRN!
Nimm braune Steine, die wie Holz wirken.
ZOMBIE
VAMPIRSARG

GEISTERBAHN

Einsteigen, bitte! Diese Geisterbahn nimmt ihre Passagiere mit auf eine haarsträubende Fahrt zu Fledermäusen, Riesenspinnen und Monstern. Was wohl am Ende der Gleise ist? Blättere um und finde es heraus ...

Große, starrende
Augenkacheln
Transparenter
Kopf als Blitzlicht
Vampir-Fleder-
maus-Fratze
über dem Tor
Stufen hinauf zum
Einstiegsbereich
KANN ICH
BITTE ZURÜCK
INS GRAB?

INNENANSICHT GEISTERBAHN

GRUSELFAHRT

Gleich um die Ecke wird es monströs – Wasserspeier mit Fratzen, Skelettpferde und grünäugige Monster mit Tentakeln. Was baust du, um die Passagiere fies zu überraschen?

Schwanz-Element als perfektes Tentakel

Sargdeckel mit Mumien-Umriss

Die Fledermaus am Ausgang sorgt für einen letzten Schreck.

KURIOSE KÜRBISSE

Nichts passt besser zu Halloween als eine grinsende Kürbislaterne. Bau diese tollen Kürbisse für deine Fensterbank. Oder verschenke sie und bring deine Freunde zum Lächeln.

TOP-TIPP

Bau einen Kürbis mit Löchern als Augen und Mund. Dann stelle ihn mit einer Taschenlampe dahinter ins Dunkle!

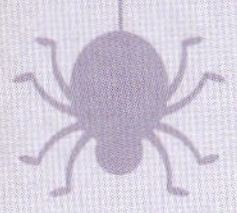

ZAUBERSPRUCH-TOPF

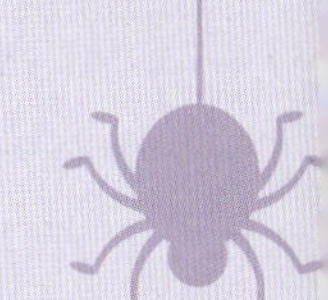

Hast du für deine Gruselparty Zaubersprüche verfasst? Bau einen bunten Behälter, um deine Spruchrollen ordentlich zu verstauen – und neugierige Blicke fernzuhalten!

Schreibe einen Zauberspruch auf altes Papier und rolle es zusammen.

HOKUS-POKUS! EIN ZAUBERTOPF!

Kacheln oben als Abschluss

VON VORN

Überlappende bunte Steine an den Ecken

Die im Dunkeln leuchtende Spinne vertreibt Neugierige.

VON HINTEN

Steine mit Klemmen halten Knochen.

PROBIER MAL
Bau einen Hindernisparcours für den Troll-Biker. Bau Halloween-Gegenstände, die er umfahren muss, etwa Kürbisse oder Schädel.
ICH HABE GEISTERBENZIN GETANKT!
Ein oder zwei gruselige Spinnenbeifahrer
Keilriemen-Vorderrad und Reifen

ROLLENDER TROLL

Bau ein monströses Motorrad und einen tricksenden Troll als Fahrer. Dieses famose Gefährt bringt deinen Troll blitzschnell zu jeder Gruselparty!

HEY, NIMMST DU MICH MIT?

Schutzbleche aus gerundeten Dachsteinen und Windschutzscheiben

HINTERRAD

Zwei breite Hinterreifen verleihen Stabilität.

SKELETT-ROCKER

Diese Knochenkerle machen richtig viel Lärm! Bau ihnen kreischende Lautsprecher, ein Knochofon und eine gruselige Bühne für ihren großen Auftritt.

HI, FANS! WIR SIND DIE SCHOCKER-ROCKER!

Röhrenförmige Teile als Knochofon-Stäbe

SPEZIAL-STEIN

1x1-Kacheln mit Klemme halten nicht nur praktisch die Knochofon-Stäbe, sondern verzieren auch toll deine Modelle.

Halbkugel-Element
als Krakenkörper
Klauen mit Klem-
men als beweg-
liche Tentakel
Krake am
1x1-Umlenker
am Bogen
Zwei große
Figuren-
Schwänze
bilden den
Bogen.
ZUM GLÜCK
HABEN WIR KEIN
TROMMELFELL!
Großer Kessel als
laute Trommel
Hörner am Bühnenrand
schützen die Band vor
kreischenden Fans.

GEISTER-GESCHICHTEN

Jeder mag Geistergeschichten! Trefft euch, nehmt drei LEGO Objekte aus einem Hut und denkt euch eine Gruselgeschichte dazu aus. Es gewinnt, wer am meisten Gänsehaut erzeugt!

ZAUBERTRAN

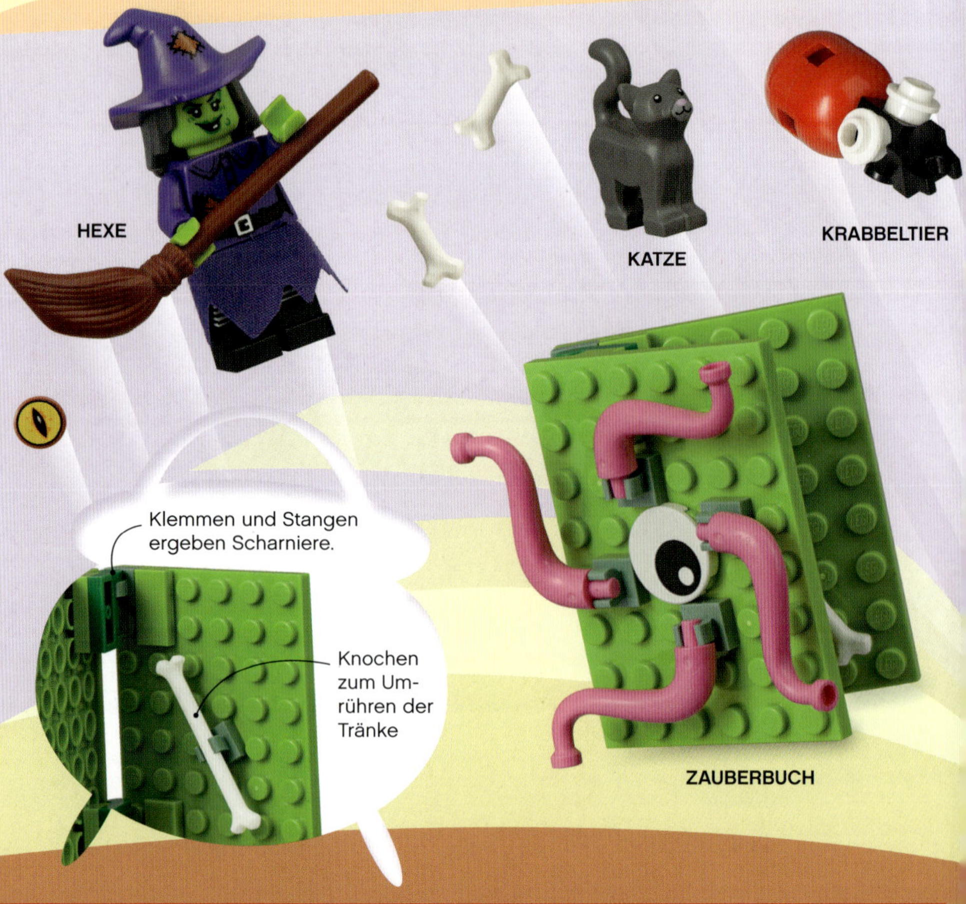

HEXE

KATZE

KRABBELTIER

Klemmen und Stangen ergeben Scharniere.

Knochen zum Umrühren der Tränke

ZAUBERBUCH

SPIELREGELN

1 Legt alle gruseligen Gegenstände in einen Hut. Man braucht mindestens dreimal so viele Gegenstände wie Mitspieler.

2 Abwechselnd nimmt jeder Spieler drei zufällige Objekte aus dem Hut, zu denen er dann eine Geschichte erzählt.

3 Am Ende entscheidet, wer die spannendste Geschichte erzählt hat!

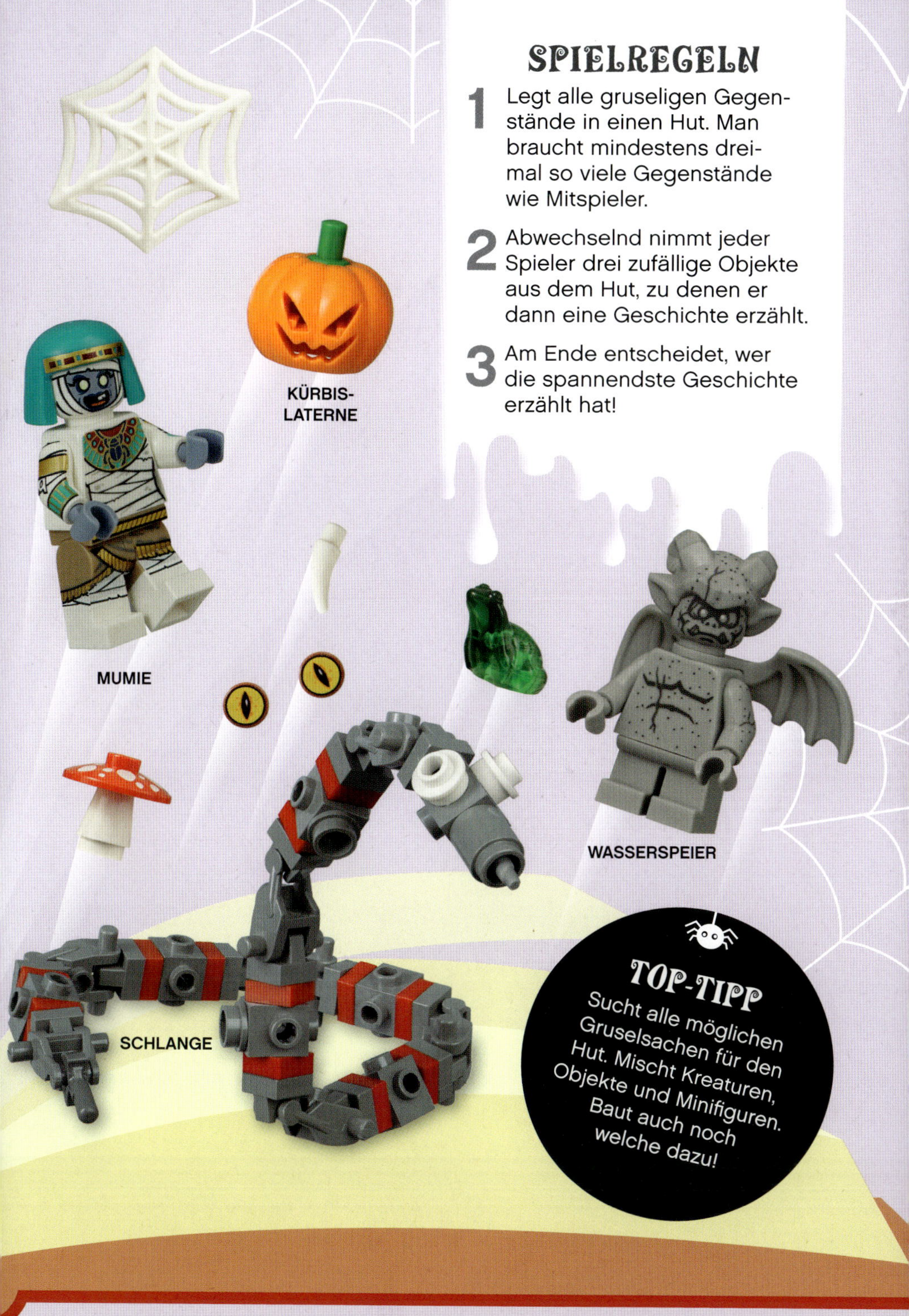

TOP-TIPP

Sucht alle möglichen Gruselsachen für den Hut. Mischt Kreaturen, Objekte und Minifiguren. Baut auch noch welche dazu!

IRRE ZOMBIES

Zombies sind das Herzstück einer jeden Gruselparty! Nimm graue Steine als Köpfe und Arme. Mach ihre Beine steif, damit sie auf der Tanzfläche ihr Zombie-schlurfen zeigen.

SPEZIAL-STEIN

Verbinde den Zombie-Kopf über eine Steckerplatte mit dem Körper, damit er ihn ganz drehen kann. Gruselig!

GRUSELSARG

Bau einen gruseligen Sarg, in den du Minifiguren für ein Versteckspiel legen kannst. Bau auch deinem LEGO Vampir einen, aber wundere dich nicht, wenn sich der Sarg nachts quietschend öffnet!

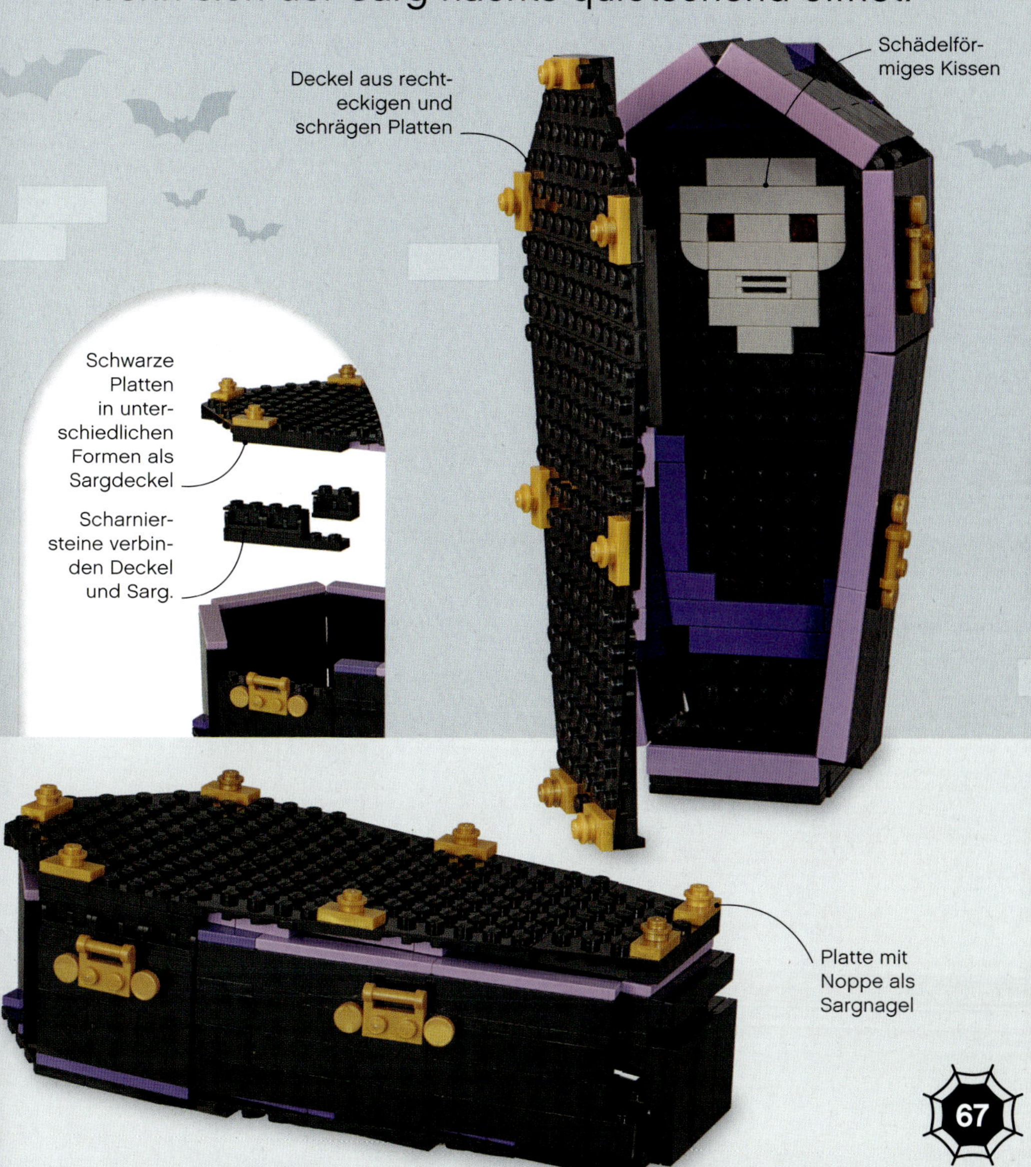

Orange Platten als perfekter Rahmen in Halloween-Farben

Netz an Steinen mit Klemmen

Schwarze Steine als schaurige, dunkle Silhouette

SPUK-HAUS

Entwirf ein Spukhaus, in dem wirklich niemand wohnen will! Bau einen dunklen Turm und Wälle, auf denen ein Geist spukt. Eine Fledermaus und starrende Augen vertreiben Eindringlinge.

Großer, weißer Vollmond hinter dem Haus

Schwarze Kegelnoppen als Zinnen

Geist an einem 1x1-Stein mit Noppe

Eine Platte mit Loch auf zwei schrägen 4x2-Platten

ICH BIN HIER RAUS!

GRUSELSZENE BAUANLEITUNG

So baust du die schaurige Gruselszene, die dem Buch beiliegt. Das ist dein erstes Gruselmodell. Was baust du als Nächstes?

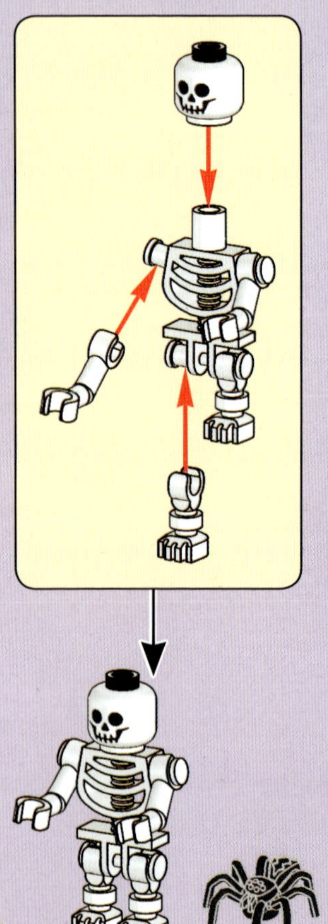

1

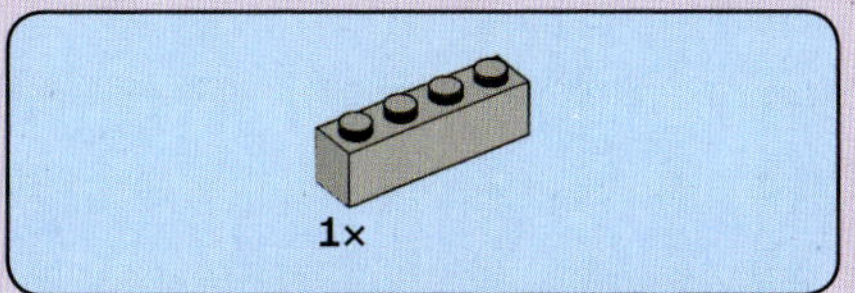

2

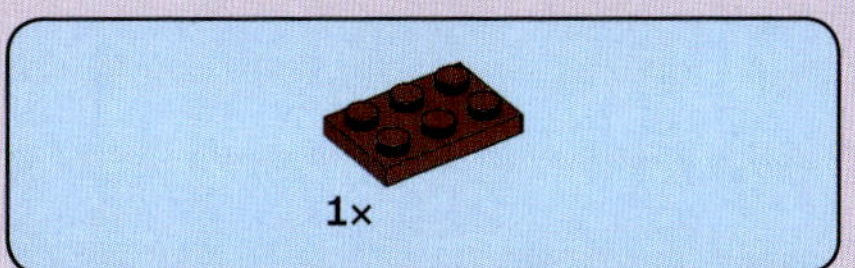

3

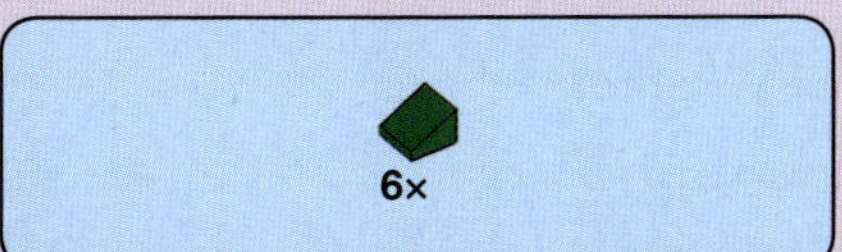

4

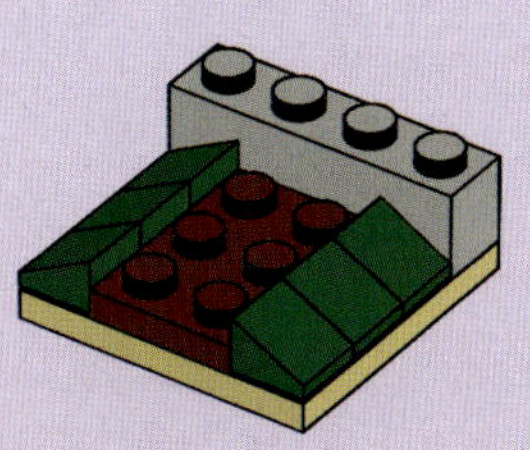

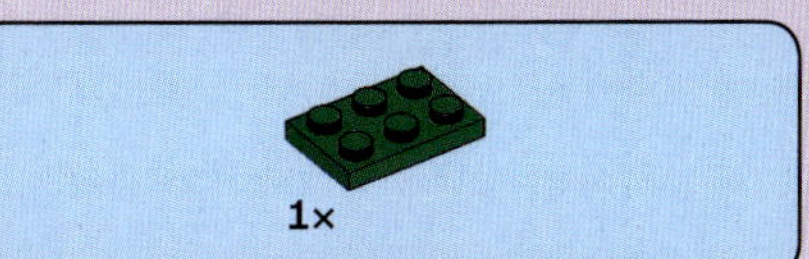

5

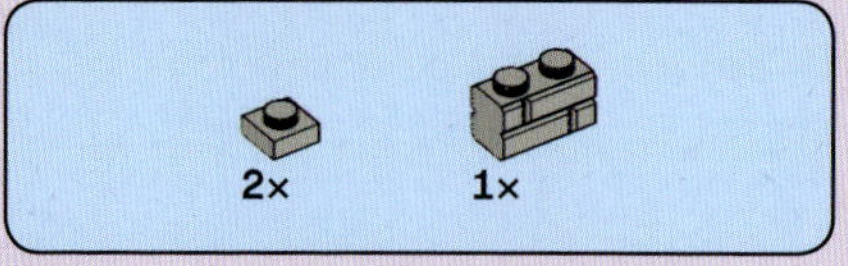

6

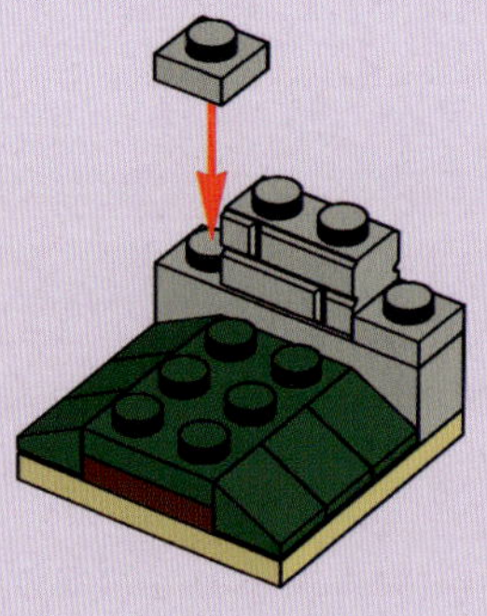

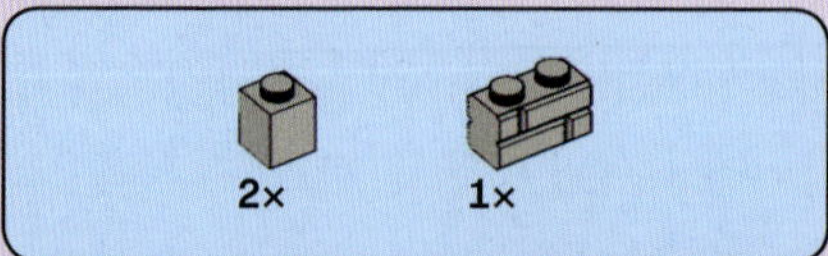

7

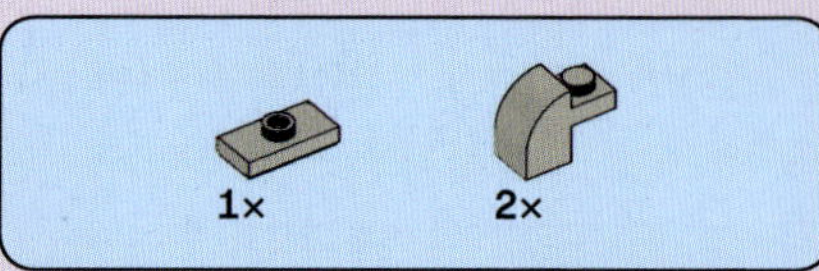

8

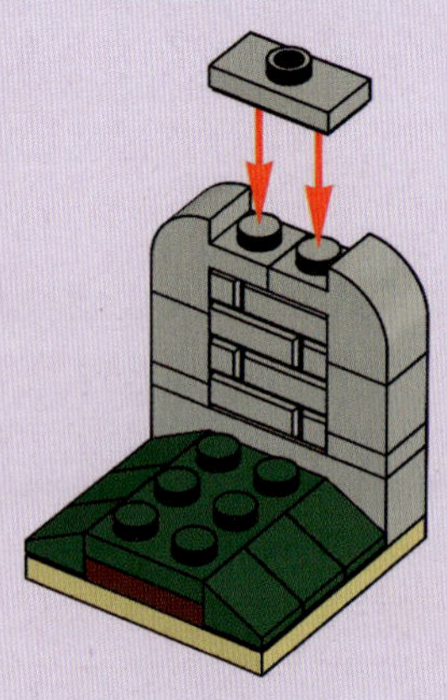

9

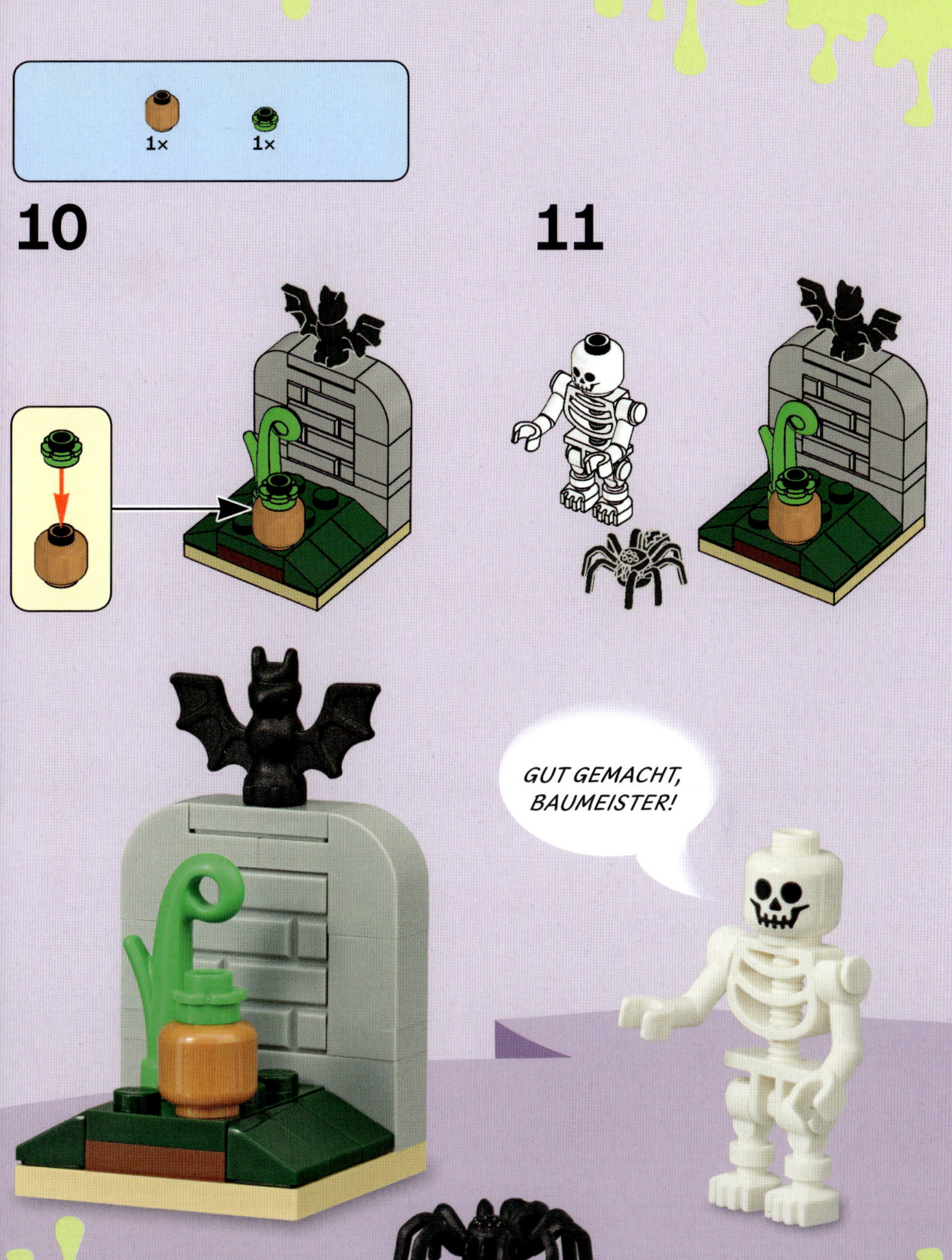
1×
1×
10
11
GUT GEMACHT,
BAUMEISTER!

HM, WELCHER STEIN IST MEIN?

NÜTZLICHE STEINE

Kein LEGO® Stein ist unnütz, für Gruselmodelle sind manche Steine besonders praktisch. Keine Sorge, falls du nicht alle Teile hast. Lass deiner Kreativität freien Lauf mit dem, was du hast!

GRUNDBAUSTEINE

Steine, die Basis von LEGO® Modellen, gibt es in allen Formen und Größen, und danach sind sie benannt.

2×3-Stein von oben

2×3-Stein von der Seite

Platten sind wie Steine, nur flacher. Drei Platten aufeinander sind so hoch wie ein Standardstein.

1×2-Platte

3 1×2-Platten

1×2-Stein

Kacheln sind Platten ohne Noppen. Sie sind also glatt und damit ideal für realistische Modelle.

1×2-Kachel

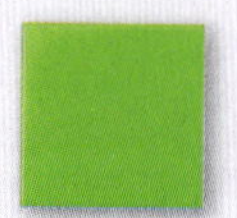
2×2-Kachel

Runde 2×2-Kachel

1×4-Kachel

Dachsteine sind abgeschrägte Steine. Sie können groß, klein, gerundet oder umgekehrt sein.

Umgekehrter 1×2-Dachstein

Gerundeter 1×4-Dachstein

Umgekehrter 1×2×3-Dachstein

COOLE VERBINDUNGEN

Steine muss man nicht stapeln. Verbinde Elemente unterschiedlich mit diesen Steinen.

Mit **Steckerplatten** lässt sich das LEGO Muster überspringen.

2×2-Steckerplatte

Scharnierplatten bewegen deine Modelle hin und her. **Scharniersteine** neigen Dinge nach oben und unten.

Scharnierplatte

1×2-Scharnierstein mit 2×2-Scharnierplatte

Es gibt verschiedene Arten von **Steinen mit Seitennoppen.** Daran kannst du nach oben und seitwärts bauen.

1×1-Stein mit vier Seitennoppen

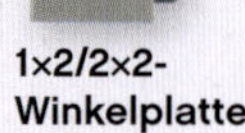
1×2/2×2-Winkelplatte

Elemente mit **Stange** passen an Steine mit **Klemme.** Klemmen halten alle Arten von Verzierungen.

1×2-Platte mit Stange

1×1-Platte mit Klemme

DEKO UND VERZIERUNG

Gruselmodelle sehen toll aus, wenn man sie mit Spinnweben, Flammen oder anders schaurig verziert. Hier sind einige Elemente, die die Modelle in diesem Buch schmücken.

Kleine Teile und Kugeln können zu Erstickungen führen. Nicht für Kinder unter 3 Jahren.

Fläschchen

Besen

Flackernde Flamme

Behälter

Spinnennetz

Rundes Spinnennetz

Laterne

Kessel

Handschellen

1×2-Mauerstein

Gras

Fliegenpilz

Ranke

Laub

Kürbis

Kürbislaterne

Verriegeltes Fenster

TIERE

Zu einer schaurigen Party gehören auch Gruselwesen. Lade sie in deine Modelle ein!

Fledermaus

Spinne

Katze

Eule

Ratte

Schlange

Frosch

KÖRPERTEILE

Sei kreativ mit Knochen, Beinen, Flügeln, Zähnen und Augen.

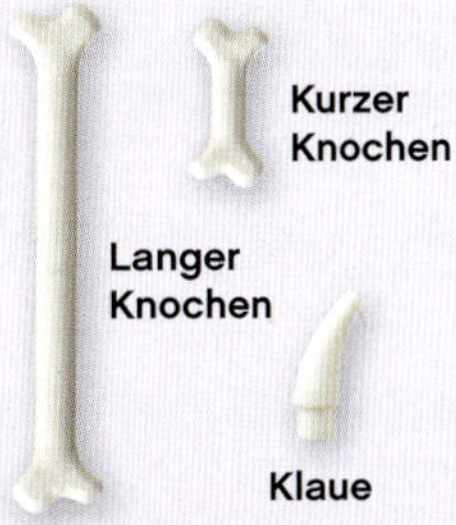

Kurzer Knochen

Langer Knochen

Klaue

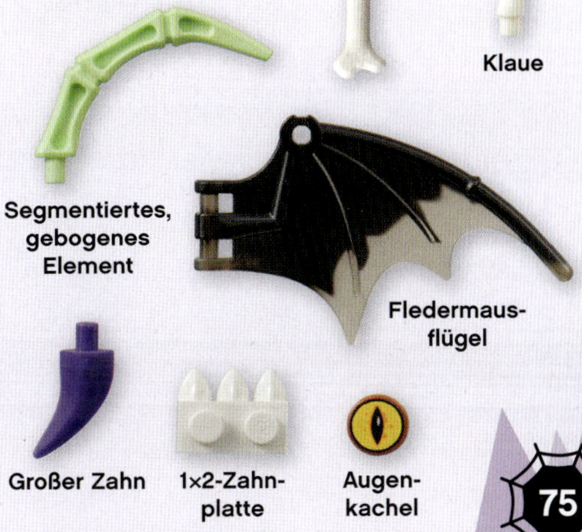

Segmentiertes, gebogenes Element

Fledermaus-flügel

Großer Zahn

1×2-Zahn-platte

Augen-kachel

Der DK Verlag dankt Randi Sørensen, Heidi K. Jensen, Paul Hansford, Martin Leighton Lindhardt, Nina Koopmann, Charlotte Neidhardt und Torben Vad Nissen von der LEGO Gruppe und Sadie Smith für die redaktionelle Unterstützung.

LEKTORAT Selina Wood, Paula Regan, Julie Ferris
GESTALTUNG UND BILDREDAKTION Anna Formanek, James McKeag, Ray Bryant, Jo Connor, Lisa Lanzarini
HERSTELLUNG Siu Chan, Lloyd Robertson
FOTOGRAFIEN DER MODELLE Gary Ombler

MODELLBAU Alice Finch, Jason Briscoe
ZUSÄTZLICHER MODELLBAU Thorin Finch

Für die deutsche Ausgabe:
PROGRAMMLEITUNG Monika Schlitzer
PROJEKTBETREUUNG Christian Noß
HERSTELLUNGSLEITUNG Dorothee Whittaker
HERSTELLUNGSKOORDINATION Arnika Marx
HERSTELLUNG Inga Reinke

Titel der englischen Originalausgabe: LEGO® Halloween Ideas

© Dorling Kindersley Limited, London, 2020
Ein Unternehmen der Penguin Random House Group
Alle Rechte vorbehalten

Seitengestaltung ©2020 Dorling Kindersley Limited
A Penguin Random House Company

Manufactured by Dorling Kindersley 80 Strand, London, WC2R 0RL under licence from the LEGO Group.

The authorised representative in the EEA is Dorling Kindersley Verlag GmbH, Arnulfstr. 124, 80636 Munich, Germany.

© der deutschsprachigen Ausgabe by Dorling Kindersley Verlag GmbH, München, 2021
Alle deutschsprachigen Rechte vorbehalten
1. Auflage, 2021

Jegliche – auch auszugsweise – Verwertung, Wiedergabe, Vervielfältigung oder Speicherung, ob elektronisch, mechanisch, durch Fotokopie oder Aufzeichnung, bedarf der vorherigen schriftlichen Genehmigung durch den Verlag.

ÜBERSETZUNG Simone Heller

ISBN 978-3-8310-4202-9

DRUCK UND BINDUNG
Leo Paper Products, China

www.dk-verlag.de

www.LEGO.com

Lösungen zu Finde den Unterschied auf Seite 17: Rahmen des Schilds, Türgriff, Pflasterstein, Gras, Spinne, Grabstein-Paneel, Ranke, Laub in anderer Farbe

DAS SIND DIE BAUMEISTER

ALICE FINCH

Alice hält auf der ganzen Welt Vorträge über LEGO Modelle. Mit ihren Söhnen Thorin und Hadrian baut sie alles von riesigen Burgen bis hin zu winzigen Fledermäusen.

JASON BRISCOE

Jasons liebstes Modell ist das Geisterschiff mit seinen Piratengeschichten! Die Finger-Elemente als zerfledderte Segel haben es ihm besonders angetan.

LEGO, the LEGO logo and the Minifigure are trademarks and/or copyrights of the/sont des marques de commerce et/ou copyrights du/son marcas registradas, algunas de ellas protegidas por derechos de autor, de LEGO Group.
All rights reserved/Tous droits réservés/Todos los derechos reservados.
©2020 The LEGO Group.